강물처럼

국립중앙도서관 출판예정도서목록(CIP)

강물처럼 : 한석수 시집 / 지은이: 한석수. -- 대전 : 지혜,
  2018
    p. ;   cm. -- (J.H classic ; 028)

ISBN 979-11-5728-309-5 03810 : ₩10000

한국 현대시[韓國現代詩]

811.7-KDC6
895.715-DDC23   CIP2018038012

J.H CLASSIC 028

강물처럼

한석수

지혜

시인의 말

햇살 좋은 11월 어느 날
아내 손잡고
계룡산 상신에서 남매탑까지
우수수 쏟아지는 늦은 단풍보다가
아니 낙엽보다가
불현 듯 두 번째 시집 생각이 들었다
조나단 리빙스턴은 무리를 떠나
가장 높이 나는 갈매기가 되었다지만
'나는 일'과 '먹는 일'의 시소를 벗어나지 못하고
속절없이 떠나온 서른 해 공무원 생활
덤처럼 케리스 원장 삼년까지
두 아들 다섯 손주를 얻었으니
이제 돌아갈 때란 생각이 들었다
허물 벗고 나를 키워준 가이아의 자양분이 돼야지
일기 적듯이 써보려 했지만
언제나 밀린 방학 숙제 같았던 나의 글쓰기
더 이상 게으른 스님처럼
법화경에 굴리며 心迷法華轉
詩, 언어의 사원言+寺 주변을 서성거리지 말고
법화경 굴리며 心悟轉法華
가장 멀리
처음과 끝닿은 나를 봐야지
낙엽이 단풍보다 아름답다

2018년
한석수

5

차 례

1부

2부

3부

4부

• 일러두기
  한 연이 첫 번째 행에서 시작될 때는 > 로 표시합니다.

1부

두타산 계곡에서

동료들과 함께 나온 2012 여름 피서
두타산 당신의 발치 아래서
정수리로 흘려놓은 감로수에
우리 세간삶을 적셔봅니다
마음에 기름처럼 엉긴 탐 · 진 · 치 삼독은
거친 포말을 일으키며
자꾸만 저만큼 흘러갑니다
덩달아 맴도는 이런저런 생각에
너럭바위 밑에 발 담그고 있으려니
주변에 부채 한번 부쳐주지 못하고
땀 한번 제대로 닦아주지 못한
바쁘고 무딘 나의 일상이 떠올랐습니다
오랜만에 듣는 웃음소리
불현듯 고개 들어 하늘 보니
그림같이 펼쳐있는 뭉게구름
숲그늘 터널 드리운 나무들
반갑게 포옹이라도 하려는 듯
하늘하늘 한가로이 춤을 추고 있네요

한가위 달을 보다가

이른 봄부터 펄펄 끓던 가마
덩달아 풀무질하고
여름 내 쇳덩이 가슴 두드리며
어두운 바다 풍덩거리다가
그렇게 떠나온 고향
고개들어 하늘보니 멀리 검푸른 쪽빛
아파트 지붕 위로 달이 떠오른다
태풍까지 서너 차례 지났다더니
그래서
조지아에도 한가위 달이 뜨나보다
빼꼼히 고개 내미는 얼굴
기억에린 담금질
시카모어 긴 그림자로 나는 서있다

뜨락에서

오늘 저녁 갑작스레 선선해진 바람
바다건너 고향에도 가을이 오고 있을까
그새 도로 위로 나서는 마음 급한 낙엽 몇 장
치알처럼 저 멀리서 노을 머금는 하늘
몇 차례 갑작스런 천둥번개 치더니
소포처럼 툭 던지고 간 것일까
뜨락을 서성이며
학교 담장따라 흔들거리던
코스모스 수줍은 미소를 떠올려본다
그래 올 여름 어지간히 더웠지
붉게 노랗게
우두커니 토해내는 나무들의 고해성사
눈처럼 비처럼 걸어가 구름 친구하다가
이만큼 저만큼에서
바람처럼 서는 법을 배우고 싶다

조지아 6개월

영어로 말하려면 여전히 망설임이 앞선다
단어가 생각나지 않거나
어리한 문법 생각하다가 막혀버리기 일쑤
서울에 놓고온 이름들도 그렇다
얼굴은 빤히 떠오르는데
가물거리기만 할 때가 많다
쉰 적잖게 넘어
밤낮이 거꾸로 도는 이국생활이란
그 무슨 치매 바이러스라도 가진 것일까
알파벳은 모국어를 누르고
움츠린 나의 어제는 저만큼 어눌하게 걷고 있다
이제 3월인데
모퉁이 돌면 바다가 보일거야
그래 그러다보면
컬럼버스처럼 인디아 어디쯤 닿을지도 모르지

바닷가에서

바다가 저리 파란 것은
하늘과 반듯하게 맞닿을 수 있어서지
세상에 올적갈적
저렇게 출렁
출렁거리면서도

백사장 이리 아늑한 것도
햇살로 거친 파도 토닥일 수 있어서지
사람들 올적갈적
이렇게 밟혀
밟혀 패이면서도

 소나무숲 그리 둥치한 것도
세월에 허허롭게 기대일 수 있어서지
비바람 올적갈적
그렇게 흔들
흔들거리면서도

상사화

세월 속 묻혀간 세상의 그리움들
여기 모여 이렇게 꽃잎 되나보다
천년 햇살로 문지르는 빨간 흔들림
말갛게 베인 네 손끝
길 잃은 어느 조그만 슬픔
독경소리 계곡따라 물 대신 흐르고
구름도 어제처럼 반쯤 눈 감고 머무는데
어디선가 따로 피고 있을
선운사 너 닮은 잎사귀

11월 어느 아침

바람부는 만추의 아침입니다
청사 뒷편 은행나무들이 까치발하며 햇살을 맞습니다
곱게 물든 노란 잎들이 화들짝 눈 비비며 날아오르네요
인왕산자락까지 내려온 하늘이 오랜만에 파랗습니다
당신이 함께 보았으면 좋았을 아침
그리고보니 무덤덤히 세월 인사도 잊고 살았네요
광화문 마지막 가을은 저렇게 짙어가는데
창가에서 커피잔만 조물거려 봅니다

세월

어느 날부터 세월이 내게 기대왔다
앞만 보고 뜀박질하는 내가 버거웠다나
허참
가쁜 숨 몰아쉬더니 발등에 올라탄다
반환점 돌고나니 예전같지 않다며
이제부터 나더러 앞장서란다
하늘 바라보니 노을이 흩어지고 있다
동지섣달 금새 어둑해질테고
텅빈 들길을 타벅터벅 걷노라니
세월대신
빼꼼히 고개내민 샛별이 가슴으로 내려 앉는다

첫 돌 맞는 손자 한길에게

2013. 2. 4 입춘 대길로 너는 내게 왔다
너의 숨결이 처음 세상과 조우하던 날
나는 새로운 우주의 떨림을 느낄 수 있었다

네가 태어나기 전 꿈속에서 너를 만난 적이 있었지
복사꽃 같기도 하고 매화 같기도 하던
신비로운 붉은 빛을 띤 처음보는 꽃이었다
누군가 태몽이라 했을 때의 그 가슴 설레임이란
사람들은 실실 웃는 나를 이상한듯 쳐다봤었지

세상의 큰 기쁨 되라고
사람들에게 밝고 넓은 희망의 길 나누라고
다정한 길벗 되어 한길 함께 걸어가라고
뽀얀 피부와 초롱한 눈을 가진 나의 손자
너의 이름을 한 길이라 지었단다

네가 글을 깨치거든 일기쓰기를 시작하거라
독서를 게을리 하지 말고
자신을 갈고 닦는 일을 부지런히 하여
신언서판을 갖춘 바른 사람이 되어야한다

겸손되이 어려운 이웃을 도울 줄 알고
항상 미소와 여유를 잃지 않는 삶을 살아
할아버지 나이가 될 때쯤 큰바위 얼굴 닮아 있었으면 좋겠다

2014 잘츠부르크의 봄

듬성듬성 푸른 풀 어깨동무하고 더운 입김모아 눈 녹이는
그 위로 그림같은 집들
잔설殘雪을 산자락 위로 밀치며 봄을 부르고 있다
모짜르트 장난스런 웃음소리가 들려올 것 같은 골짜기
바람따라 느릿한 햇살은 선잠든 호수를 흔들어 깨우고
물안개는 품 안에 접어두었던 흐릿한 어제를 풀어내고 있다
저 산에 올라 에델바이스 부르면 영화처럼 '소중한 추억' 될 수
있을까
떠나고 보내고 헤어진다는 것이 허접하게 사라지는 것은 아닐
거야
생각하지 않는다고 생각나지 않는 것이 아닌 것처럼
우리의 삶도 산길 오르내리락하는 저 봄과 겨울 같은 것은 아
닐까
과거와 현재와 빛과 그림자가 엎치락뒤치락
서로 '마음 속의 꽃이여'로 피어날 수 있다면

KTX에서

엊그제 여름같은 날씨 한꺼번에 벚꽃 필 때
오늘 바람결에 하늘하늘 꽃잎 질 때
당신은 무슨 생각하셨나요
하늘 파랗고 또 아지랭이 필거예요
내일은 아무 생각말고 나만 생각하세요
덜컹덜컹 흔들흔들 저만치 앞서 가네요

한림재에서

네가 없으면 참 쓸쓸할 것 같다
이 파란 하늘 신선한 바람
홀로 바라보고 숨쉬기 버거울 것 같다
산비둘기 소리 장끼 울음까지
가슴벅찬 5월 너와 나 태어난 달
칡넝쿨 한짐은 걷어내고
정자에 걸터앉아 막걸리 마시다가
늘어지는 석양 바라보는데
산 그림자 타고 내리는 너 닮은 고요
길고 까맣던 머리칼
네가 없어도 나 여기 있을까
감나무에 산까치 내려 앉을 때
속절없이 그런 생각이 들었다

지지대를 세우다가

지난 번 세웠어야 했다
너무 어린 것 같아 한 주 미뤘더니
땅바닥에 불쌍한 자세로 반쯤 누워버린 토마토
그 모양으로 꽃대까지 벌써 내밀건 뭐람
엉거주춤 부러질세라 지지대로 잡아주니
아프다고 낑낑 애처로운 눈빛을 한다
굽은 허리 어서 바로 펴야 할텐데
땀 뻘뻘 물주다가 떠오른 생각
나보다 시간이 빨리 달리는 걸 보면
내 시계도 늙어 뒤듬바리 되었나보다
아이들은 감당없이 후다닥 자라고
학교는 숨가쁘게 뜀박질 하는데
책상 위에 매몰되어 손놓고 지내는 것은 아닐까

길

길은 언제나 대지에겐 생채기 내는 일
그래서 누구에겐 그때마다 아픔에 길들임일게다
'길들이다'
어린 왕자가 여우에게 배운 지구 말이었지
고향별 두고온 장미 기침한 이유를 그제서야 아는 걸 보면
애시당초 외계에는 없던 말이었어
그러니 그 소혹성들을 멋대로 갈 수 있었지
파인만이 그랬다는데*
모든 지식이 사라질 때 다음 세대에 전할 한 문장을 적는다면
"만물은, 끊임없이 움직이며 조금 떨어져 있으면 서로 끌어 당
기고 너무 가까워지면 서로 미는, 원자라는 작은 입자들로 이루
어져 있다"
떨어진 존재들간 길들이고 길드는 관계의 합은 아닐까
어린 왕자는 사하라 사막 어디쯤 잠들어 있을게다
제 아무리 효험을 가진 뱀 독이라도 지구별 길들임의 무게를
어쩐진 못했을테니까
그 아픔으로 별안간 장미 소행성까지 길이 났을테고
우리는 별똥별 바라보며 네 별 내 별을 헤아리게 된 것은 아닐까

* '유니버설 랭귀지'(박문호의 과학세상, 2014) 참조: Richard Feynman은 노벨상을
받은 미국의 물리학자인데 기초 물리학 강의 시간에, 어떤 대사건의 발생으로 모든 과
학적 지식이 일시에 사라질 때 최소의 단어로 최대의 정보를 담아 후세에 전할 한 문장
을 기술한다면 무엇일지 학생들에게 질문하고 그 답으로 제시했다고 함.

장태산 전망대에서

계곡 멀리 끝간데 저수지 바라보다가
사진이라도 담아볼까 휴대폰 뒤적거리는데
전망대 아래로 마른 솔방울 하나 툭 떨어진다
그제서야 눈에 들어서는 잘 생긴 소나무 한그루
가만보니 솔방울이 주렁주렁 달려있다
이 산 속 호젓하게 서있으며
얼마나 심심했으면 내게 팔매질을 할까
안스럽게 눈인사 건네니 반갑게 맞아준다
첫번째 눈맞춤이란다
그리고보니 바닥에 솔방울이 즐비하다
허공에 점이라도 찍고 싶은 것일까
메타세콰이어 나란나란히 하늘과 키맞추는 장태산에서
소나무 모양새로 잠시 생각에 잠겨본다
그간 듣지못한 방울소리는 얼마나 많았을까
무심코 지나친 긴한 눈빛들은 또 얼마나 될까

탑화미소

계룡산 상원암에 갔다
남매탑 기단에 나있는 이름모를 풀 한 포기
어느 인연으로 탑 틈사귀에 저리 곤하게 자리내린 것일까
한참을 쳐다봤다
힘들다고 풀썩대는 세간 소리를 들으신 것일까
돌틈 비집고도 이만큼 꿋꿋하다며
축제에 찌들려 시들해진 연꽃대신
들꽃 미소라도 보여주고 싶으신걸까
사람들은 탑돌이에 여념없다
그때 사정없이 내려치는 죽비 한방
돌덩이 마음 그대로 꼬옥 끌어안은 채
탑 주변이나 서성거리며
무량 마음밭 가진 너는 무엇하고 있는고

2부

11월 산책길에서

달을 쳐다본다
달도 나를 쳐다본다
중천에 두둥실 동그란 달
종종 별처럼 따라 걸어본다
나풀나폴 억새풀 줄지어 따라온다
네온처럼 반짝이는 나뭇잎들
버들 흔들 그림자에 달보고 괜한 헛기침
걸음 멈춘 달이 빤히 돌아본다
찡끗 눈 감아보이는 달
나도 따라 감아본다
고향집 둥구나무 위로 떠오르던 달
그 애도 어디서 달을 보고 있으려나
달빛으로 온 동네 금빛 단풍질던 밤

대전역에서

새벽 출장길 서울행 KTX 5번 탑승구
플랫폼 저쪽에서 누군가 손을 흔든다
어제 내게 핀잔들은 J사무관이다
웬일이냐고 데면데면 묻는 내게 뭔가를 내밀더니
손사래 아랑곳 제 열차칸으로 달려간다
유리병이 아직 따뜻하다
한 모금 천천히 마셨다
하얗게 눈모자 쓴 나무들이 줄지어 쳐다본다
나는 잔소리했는데 녀석은 기침소리까지 넘겨듣지 않았나보다
목젖이 따스하게 젖어온다
나는 선배들께 저리 곰살맞은 적이 있었던가
기차는 미끄러지듯 속도를 올리고
퍼져나는 모과향 따라
눈부신 아침 햇살이 달콤하기만 하다

뒷모습

누군가 얘기했지
진정한 아름다움은 뒷모습에 있다고
오늘 보았네
그냥 걸어가는 사람
어제와 오늘을 내일이라 이름지으며
두 손 악수로 세월을 되짚더니
선한 미소
입춘지난 눈발로 던지고 가네
뒤돌아서니 낯익은 모습
당신은 누구시길레
눈 감고 가만가만 봄을 꼽아봅니다

설날

설날은 다시 일어서는 날
모두에게 세월은 숙명의 마라톤 같은 것이지만
양력 설 쉰지 어느 새 두 달
여전히 혹은 벌써
저만큼 앞선 사람보며 주저앉고 싶을 즈음
달력에 깨알처럼 웅크려있던 또다른 날들을 꺼내
출발선에 나란히 새로 설 수 있게 하는
음력 설은 우리 조상들의 첫째가는 지혜 아닐까
엊그제 덜받은 복 마저 챙기고
그래 다시 한번 달려보는거야
신발코를 바짝 금에 맞춰 선 다음
준비-차렷-땅 선생님 구령소리 따라
여전히 끝은 가물거리지만
결승선을 가슴에 품어보는거지
백미터 사백미터 계주 끊어 달리다보면
언젠가는 제대로 바로 설 날 있겠지
움츠렸던 너와 나 그네들까지
앞서거니 뒤서거니 함께 뜀박질할 수 있겠지
학교 운동회 같이 다시 설날 올거야

사월 어느 날

백발도 벚꽃처럼 피고질 수는 없을까
드문드문 머뭇거리지 말고 그저 활짝
그리고
꽃잎처럼 날리는거지 그 어느 날
거무스레한 머리카락 덩달아 분분하지 않게
남겨져 멋대로 어지럽지 않게
하나 둘 셋 넷 하늘하늘
어깨 위 내려앉는 어제어제 그제그제
가지 끝 달랑대는 내일내일 모레모레
그렇게 뚝방길엔 꽃길이 열리고
눈 꼭 감아도 여전히 눈부신 햇살
그래 천지는 아직 봄날이잖아

손녀 유나에게

2015년 광복절 다음 날 우주의 인연으로 넌 우리에게 왔다
손자 두 녀석 다음 첫번째 손녀
가는 눈매와 그려낸듯 맑은 입술이 얼마나 예쁘던지
성하염천에 몇 갑절 산고를 겪은 네 어미를 위해
하늘도 시원한 소나기를 내렸지
네 울음소리를 반주하듯 천지를 진동할 기세로 한참을 내렸다
오늘부터 세상은 빠르게 가을을 시작하리라
그렇게 아름다움 간직하라고
네 이름을 유나(有娜 있을 유, 아름다울 나)로 지었다
아름다운 몸과 마음, 영혼을 갖춘 사람이 되거라
그래서 집안에는 기쁨과 영예가 되고
파란 하늘, 높은 산, 깊은 물처럼
세상을 아름답게 만드는 사람이 되었으면 좋겠다
건강하게 무럭무럭 자라다오

백일 맞는 둘째 손자 준에게

태어난 지 며칠 되지 않아 방긋 웃던 네가 얼마나 신기하고 예
쁘던지
배냇짓이라 애써 할미와 치부하면서도
오똑한 콧날하며 갸름한 이목구비가 왠지 낯익다 했는데
오늘 보니 영락없는 부처님 상호 했구나
스스로에게 더할 나위 없이 반듯하고
우러러 세상의 커다란 반듯함 되라고
네 이름을 한 준韓埻이라 지었다
이름처럼 지혜로운 사람이 되거라
그리하여
아낌없이 나눌 줄 아는 사람이 되어야 한다
네 어미의 고운 심성을 닮아선지
심한 보챔도 없이 먹고자고 한다지
그런 네가 대견한지 어린 형아도 널 토닥이더구나
그렇게 오손도손 우애롭게 자라거라
너 태어나 백일 말할 수 없는 기쁨이었다
건강하게 무럭무럭 자라 집안에는 더없는 영예가 되고
아름다운 세상 만드는 융준隆準한 인물 되었으면 좋겠다

시월 둘째 날

잊혀짐은 가슴 아프지만 잊는 것은 더욱 슬픈 일이다
쨍하니 하늘 파란 날에는 어김없이 찾아와
마음 에리고
핑하니 눈물 돌게 하지만
세상 눈물의 양은 일정하다는 '포조'의 읊조림 때문인지
잊고 잊혀짐은 서로 잊지 못하는 것을 어쩌랴
어쩌면
잊는다는 것은 비행기에 오르는 일이고
잊혀진다는 것은 비행기를 내리는 일이다
무딘 손가락으로 구름을 그려보지만
잊음은 잊음으로 또 다른 잊혀짐으로 뭉게뭉게
그렇게 사람들은 '고도Godot'를 기다리는 것일까
창 밖으로 멀리 제주가 보인다

어느 출근길

새벽안개가 자욱합니다
불현듯 안부가 궁금해졌습니다
여전히 그쪽 세상은 '꽃 피고 꽃 지나요'
시월 이때쯤이면
여름 내 꾹꾹 눌러온 제 색깔 내며
온갖 나무들 저렇게 가을 타는데
뭉툭뭉툭 잘려
아파트로 이민 온 큰 키 소나무처럼
옹이 같은 인연을 송진 반 황토 반 동여매고
지지목에 기대어 하늘 바라봅니다
터벅터벅 휘적휘적 어제 왔던 길을 되짚어봅니다
가로등은 참았던 하품을 토하고
찬기 머금은 바람은 벌써 무릎아래 파고드는데
가방쥔 손 바꾸어 드는 내게
주머니 부시럭거리며 겨우 꺼내놓는
엽서 닮은 노란 솔잎 몇 장

10월 31일

가는 가을처럼
오는 겨울처럼
고운 단풍처럼
지는 낙엽처럼
누군가 오르고
누군가 내리고
어제처럼 기차는 떠난다
오늘도 덩그마니 누워있는 철길
화들짝
일어서려는 내게
삐딱하게 기울어지는 동그라미
아직 두 달 남았잖아
너는 시월이라 쓰고 나는 벌써라고 읽는다

YS 영결식을 보며

눈이 내린다
11월 26일, 2015년 첫 눈이 내린다
오늘을 기다려 참아온 것일까
그가 떠나시는 날 대한민국 서울에 첫 눈이 내린다
봄을 기다려보지 않은 자 엄동설한 회색빛 겨울을 어찌 알리요
절기가 무색한 철부지 계절에
덩달아 천둥벌거숭이되는 세태가 안타까우셨을까
겨울을 보여주고 싶으셨을거야
가슴 시리게 서운했을 거칠고 모진 세상 언사들
떠나기전 꾹꾹 덮어주려 하신게지
서있는 가슴들 초심 되짚으며
눈길 밟는 모습 보고싶으셨을거야
그의 발자욱 번질나게 나있을
청와대에도
상도동에도 동교동에도
고향 거제에도
지금쯤 국립묘지 현충원에도
여의도처럼 하얀 눈발 날리겠지
당신은 진정 큰산이셨습니다
당신이 겪은 겨울을 우리는 잊지 않을 것입니다

당차게 품고 이겨낸 씨알이
여기 오늘 나무되었음을 잊지 않겠습니다
푸르고 푸른 산으로 키워낼 것입니다
이제 영면하소서
나라 걱정 내려놓고 평안히 안식하소서

동행 2016

새해 첫날
포근한 날씨가 산행하기 참 좋았습니다
계룡산 어느 날맹이
일출은 놓치고
돌아보니
산 아래는 아직 어슴푸레합니다
어제는 저만큼 작년이 되었구요
바위에 걸터 앉아 가쁜 숨 고르는데
불현듯 동행이란 단어가 떠올랐습니다
참된 동행은
어쩌면 홀로걷기라는 생각
처음처럼
뚜벅뚜벅 홀로 걸으며
또박또박 함께 걷는
행복한 2016년 되었으면 좋겠습니다
새해 복 많이 받으세요

초례봉에서

대구 이사와 처음 산행을 했다
아파트 유리창에 그림처럼 걸려있는 산
초입부터 솔향이 그윽하다
월든 소나무 숲길이 이만했을까
산그늘 따라 느릿하게 걷다가
산날맹이 두어 개 넘으니
가파른 골짜기 타고 부는 세찬 바람
둥치 큰 소나무가 한쪽 가지를 사납게 찢긴 채
비스듬히 기울어져 있다
언젠가 가늘한 가지 추썩이던 바람이었을텐데
이제 그 바람에 넘겨져 공룡화석처럼 누워있다니
사방팔방 훤한 시야
나무 모양 팔 벌리고 표지석 앞에 서본다
해발 635.7 미터 초례봉
높지 않지만 작지 않은 산
'멀지만 가까운 이웃 마을' 같은 산
나무꾼과 선녀가 첫날 밤 가례를 치렀다는 전설도 있고
견훤에게 패한 왕건이 하늘에 제를 지냈다고도 하는데
그날 하늘도 저리 파랬을까
사람들은 어떤 모습으로 서있었을까

바람은 오늘처럼 여전했을테고
어딘가 흔적없이 누워있겠지
광화문에 놓고온 삼십년 나의 모습처럼

4월 나무

나무들이 제일 예쁠 때구나
초등학교 입학식 날처럼
모두들 제 빛깔로 이름표 달고 서있네
여기 멀리서도 알 수 있어
보인다구
바람불지 않아도
오솔길 드리운 네 옅은 그림자까지
그러다가 너는 곧 산이 되겠지
그래 여름 오기 전 함께 산이 될 수 있을거야
나무 말고 그저 푸른 산
기다림없이 어떻게 가을을 맞겠어
이제 빠알간 네 부끄러움이 보고싶어
그 다음엔
잘 모르겠어 나도
어차피
눈이라도 내려야 잠들 수 있을테니

'윤사월'을 읽다가

황사먼지 자욱한
차창 밖 세상

열차도 덜컹덜컹
거친 목소리

구겨진 신문지 위
고층 아파트

스마트폰 속으로
호접몽일까

핸드폰은 아침부터

초례산 자락 오르다가
네 살배기 손자 녀석 꾀부릴 즈음
'시계는 아침부터 똑딱똑딱'
박자삼아 불러보랬더니
'핸드폰은요' 뜬금없이 묻는다
갸우뚱하는 나를 보고 씩 웃더니
'까똑까똑'한다나
뒤에 오던 집사람과 박장대소
'핸드폰은 아침부터 까똑까똑'
셋이서 합창을 해야 했다
'시계는 밤이 돼도 똑딱똑딱 쉬지않고 가지요'
배운 대로 가르치렸는데
'핸드폰은 밤이 돼도 까똑까똑'
시작도 하기 전 가르치려 한다

3부

5월 어느 아침

비가 내린다
엊저녁 가는 비로 시작하더니
밤새도록
아침 내내
장마비처럼 내린다
창 밖으로 뿌연 장막을 드리운다
흑백영화처럼 번져오는 뻐근한 그리움
내리면 그냥 내리지
유리창에 부딪치며 방울방울 튀길 건 뭐람
덜덜거리는 필름소리에 펄렁대는 커튼
또르르 먼지 풀풀 마음 밭을 구른다

생일날에

생일을 태어난 날이라고 하지만
일년마다 돌아오는 생일은 태어나는 날 아닐까
어제까지의 나를 매미처럼 허물벗고
한 살 더먹은 나로 다시 태어나는 날
품에 꼭 안으시고 대견스레 바라보셨을
어머니 얼굴을 떠올려본다
치맷기에도 잊지 않으시던 못난 아들 귀빠진 날
창 밖 하늘이 산그늘 따라 개울가를 기웃거린다
손주녀석 축하받는 나이되고보니
저려오는 가슴
내리사랑이라 달랠 수 있으니 그나마 다행
그나저나
내겐 이제 몇 번의 생일이 남았을까
50대 마지막 생일
59번째 신형 Han's model
1년동안 무사고 운행을 기원해본다

산길 걷다가

세상길에 퍽퍽해진 다리로 사람들은 산에 오른다
이젠 산길도 어깨 부딪힘에 자유롭지 않은 외길
하긴
책 속에 길이 있다고 배울 때도 그랬지
길 아닌 길은 가지 말라고
여기저기 통행금지 푯말
그렇게 젊은 날은 가고
간혹 갈림길이 있으면 무엇하리
가보지도 않은 곳이 시간표까지 달고 서있으니
프로스트라고 어디 시 한 줄 썼으려나
그렇게
그림자 따라걷다 책갈피에 눌렸듯이
매번 그 산 길 다시 내려오는거지
막걸리 한 모금 목을 축이고
산 속에 길이 있다 읊조려보지만
길은 어쨌든 세간으로 이어지고
길없는 산길은 여전히 어림없다
어제까지 바깥 세상 따라 걸으며
산 너머 산이라 한숨짓던 사람들
산 속 여기저기 누워있는데

내게는 어떤 길이 나있을까
걷는 나와 이름표 들고 기다리는 나는
이 산 저 산 어디쯤에서 만날까

운수 좋은 날

장마 끝 이른 아침 산책길
큰일 날 뻔했다
보도블록 비집고 나온
노란 풀꽃에 눈이 갔기 망정이지
커다란 먹이 물고 낑낑대는
개미 몇 마리를 밟을 뻔했다
계속된 폭우로 며칠간 굶었을 테고
걱정하는 식구들을 뒤로
날 개기 무섭게 어둑한 새벽길 나섰을 테지
아이들 잘 때 출퇴근하던
공무원 초임시절 월급날이 생각났다
녀석들은 통닭을 참 좋아했었지
한발 늦추지 않았다면
개미마을은 줄초상 나고
덩달아 지구 저편에는 지진이 났을지도 몰라
운수좋은 날
그나저나
그동안 내게 밟힌 개미는 얼마나 될까
요즘 조물주께서도 산책하실 때
구름타고 서성대는 알파고가 거슬려
멀리 은하수쪽만 보시는 것은 아닐까

진자JINJA에서

황토 먼지 뚫고

캄팔라에서 두 시간 넘게 달려 나일강의 근원

부드럽게 일렁이는 넓고 검푸른 물결

그럼

세상에서 제일 긴 강이 되려면 이 정도는 돼야지

불현듯 떠오르는 생각

나의 근원은 어디일까

어디서 시작되어 어디로 가는걸까

양식장 칸막이에 물끄러미 서있는 물새들의 먼 시선

손에 물담아 흘리면 소원을 이룬다길레

뱃머리에 애써 몸을 굽히려는데

포구에 서있던 간디 흉상 그의 눈빛이 떠오른다

세계평화 기원하며 유골이라도 뿌려달랬다는데

야자아래 늘어서있는 19세기 총독관저 양식의 건물들

거슬러 오르지 못하는 세월대신

잊지 말아야 할 곳은 바다라며

스스로 모습을 담아 처음으로 흐르란다

검게 그을린 뱃노인이 구명조끼 추스리며 손을 흔든다

적게 가졌다고 부족한 것은 아닌데

행복하지 않은 것은 더더욱 아닌데

바다 건너온 사람들은 자꾸만 묻는다나
세상 거친 욕심을 찬찬히 씻어 말리며
나일강은 그렇게 시작하고 있었다

적도에 서서

세상살이
절반의 나뉨일까 절반의 만남일까
적도 위
노란 페인트 선에 양 팔 벌려 서면
한 쪽은 남, 다른 쪽은 북
왼쪽 흘리는 물은 시계방향으로
오른쪽 흘리는 물은 반대로 돈다
그렇게 얽힌 씨줄날줄로
너와 나 슬프면서 기쁠 수 있고
우리 함께 기쁠 수도 슬플 수도 있는거네
너와 나의 적도는 어디에 있고
우리의 적도는 어디 쯤에서 만날까
적도 모형 안에 다빈치처럼 서서
눈 감고 반듯하게 선을 그어본다

부석사 무량수전에서

의상께서 이곳에 화엄을 펼치실 때
바위도 덩달아 부운浮雲같은 사바 생을 깨친 것일까
흔들리는 대중의 심지를 바로 세우려
허공에 이름 방편 던지시고
골담초 지팡이로 받쳐 놓으신 게지
달마의 먼짓길이 안스러우셨는지
반개하신 상호相好는 동쪽으로 지긋하다
저 아미타불 앞에서 정진하실 때
얼마큼의 찰나를 무량 화두 삼으셨을까
조사당에 스님은 보이지 않고
우르르 사람들로 북새통을 이루는데
우로雨露도 의지 않은 그 자리 천년 선비화禪扉花를
그물 같은 철망 가막소로 가두고는
꼬깃한 지전 몇 장은 누구위한 공양일까
부석浮石도 세월의 무게만큼 비스듬히 누웠는데
산 아래 마을은 아득하기만 하고
여지없이 오늘도 단풍이 곱다

* 선비화禪扉花 : 신라시대 의상대사가 창건한 사찰이라고 알려진 부석사 조사당(국보 제
19호) 추녀 밑에 일명 선비화라 불리는 콩과 낙엽관목인 골담초 1그루가 있는데, 의상
대사께서 도를 깨치고 천축으로 떠날 때 지팡이를 꽂으면서 '지팡이에 뿌리가 내리고
잎이 날 터이니 이 나무가 죽지 않으면 나도 죽지 않은 것으로 알라'고 했다는 내용이
전해진다. 아기를 못 낳은 부인이 그 잎을 삶아 물을 마시면 아들을 낳는다는 속설이
내려와 나무가 많이 훼손되어 현재 철책으로 둘러싸여 보호되고 있으며 실제 수령이
최소 500년에 이른다고 한다(네이버 지식백과 참조).

세모 인사 (1)

청사 주변을 한 바퀴 돌았습니다
바람이 꽤나 쌀쌀하네요
머리 식히는데 찬바람만한 것이 없지요
2016년이 며칠 남지 않았습니다
세모 분위기도 무거운데
평가결과 받았을 여러분 모습을 떠올려봅니다
어디서 옮겨왔는지
지지목에 기대어
덩그마니 서있는 나무들이 반갑게 맞아줍니다
불현듯
바람은 나무들이 토해내는 숨결같다는 생각이 듭니다
그냥 흔들리는 것이 아니라
이웃한 나무, 떠나온 나무들과의 대화일지 모른다는 생각
전산센터 주변 야트막한 철망과 장미덩쿨이 눈에 들어왔습니다
여름내내 몸살 앓더니 아직까지 파란 잎을 틔우고 있네요
혼자 중얼거려봅니다
그래 케리스를 지키는 것은 높은 담장이 아니지
내년 5월 제대로 필 장미일거야
나무의 바람처럼 다가서고 싶습니다
케리스 묵은 먼지를 날려버리고 싶습니다

올 한 해 고생 많으셨어요

내년에 저는 밤하늘이 될께요

반짝이는 케리스의 별이 되어주세요

그리고

꿈의 구장Field of Dreams 잊지마세요

옥수수 밭 밀어내면If you build it

그는 옵니다He will come

세모 인사 (2)

작년에 그랬듯이
한해살이 당신은 장막 뒤로 사라질테고
나는 잘난 얼굴한 또다른 당신을 기다립니다
당신은 벽에 기대
십자가처럼 아니 그리스도처럼
하루살이 나를 바라보지요
베드로처럼
새벽 닭 울음 전 뒤척인 시간들이
백일몽으로 휘청거리고
심지어
오늘도 바쁨만큼의 권태였습니다
나는 또 포스트잇 분량의 참회를 적습니다
당신의 고뇌는 깊어질테고
그런데 아세요
한자어더라구요
심할 심甚 이를 지至 어조사 어於
지천명 너머 이순 되도록
우리말인 줄 알았어요
그렇게 벽바라기 삶이었습니다
사전을 가까이 해야겠어요

나와 나 아닌 것을 갈라세우고
'검증된 삶'으로
아스클레피오스에게 빚진 그의 몫까지 더하여
닭 한 마리 값을 여유는 잃지 말자고
허접스레 새해 다짐을 미리 적어봅니다

정유 일출

정유 일출보려고
계룡산 상신계곡 홀로 오르다가
퍼뜩 떠오른 생각
당신이 나의 일출이었네요
육십고개 훌쩍
물소리 바람소리 다시 들려옵니다
언젠가
당신 위한 노을 될 수 있을까
서둘러
내려오는 내내 다짐하였습니다

마르모땅 모네 미술관에서

빛으로 보고
물이 되고
산이 되어 나무로 끌어안기
그래서 수련이 되고 바위가 되고
자연이란 늘상 뒷모습 같은 것이지
하긴 사람처럼 불쑥 얼굴 먼저 디밀겠어
굵은 붓질로 세간의 장식을 털어내면
이렇게 사람에서 사물이 되는구나
저렇게 존재에서 관계가 되는구나
눈밭 저 외딴 두 집에 살았을 그 여자와 이 남자
외롭게 따로 몸짓마저 내리고 섰네
내가 아는 '절규'는 어디 갔을까
두리번 거릴 때 떠오른 생각
여기저기 자신보다 더 거친 모습에 눌려
어디선가 휑한 목소리 가다듬는 것은 아닐까
사람들의 끄덕임에 열뜬 넉넉한 몸집의 가이드
코맹맹이 발음으로 쉬지않고 읊조린다

런던행 유로스타 안에서

모네의 하늘을 닮아서일까
차창 밖 파리는
나무까지 우울하게 흔들린다
우울하지 않은 것은 햇살 기다리는 우울 뿐
그러니 어쩌겠어
뭉턱뭉턱 구름 털어
우울의 우울을 덮어도 보고
눈 내린 산과 하늘 머금은 바다 불러
판박이 같은 세상 거칠게 붓질했겠지
울타리 뛰어 넘어 보이는대로 달렸겠지
말도 없이 멈춰선 기차 안에서
그림 속 웅크려있는 우울 흉내내며
그의 모습을 떠올려본다

입춘 매화

입춘날 햇살따라 나선 산책길
어제까지 그 추위 어디 갔을까
하늘 머금은 매화 겨울을 묻네

가운데 발가락

이른 새벽 이리저리 뒤척이다가
가운데 발가락에게 말을 걸었다
묵묵부답
꼼지락해보려니 감각도 없다
하긴 뜬금없지
언제 한번 쳐다본 적이라도 있었나
발을 당겨 가만히 만져보았다
그리고보니 이름도 없네
왼발 오른발 구분도 없었고
어디에 있었는지
어디로 걸어갈지
별명이라도 붙여 내일 다시 부르면
무슨 엉뚱한 소리라도 들을 수 있으려나

바래봉에서

화선지 그림같은 분홍빛깔 세상
축제겸한 트레킹코스쯤 알고 왔는데
산 고개 숨가쁘게 돌아 1,165m 정상
얼마 만에 오른 지리산인가
푸른 하늘 배경으로 침묵의 봉우리들
흉내라도 내보려 엉거주춤 앉았더니
거친 바람 사정없이 모자를 날린다
벼랑 쪽 구르려는 순간 잡아든 아내
빙그레 웃으며 지긋이 쥐어준다
생각 없이 따라 잡으려다 큰일 난다고
산아래 나는 어떤 모습일까
지리산이라 생각없이 그냥 따라 읽었는데
세상은 알음알이와 다르다는 얘기하려
지이산智異山이라 쓰고 지리산이 된 것일까

4부

2017 울산 장미축제

무더위 일찍 시작된 이유
오늘 여기 와보니 알 것 같다
들판 가득 장미 네가 피느라 그랬구나
5월되면 그냥 피는 줄 알았는데
네 붉은 꽃잎 아래 가시 때문이었구나
눌려온 사람들 거친 숨결도
너처럼 가시달고 곱게 피고 싶은거야
붉은 장미 하얀 장미 노란 장미
함께 제 각각 땀 흘리고 있네
까끌까끌 콕콕 가만히 만져보았다

대왕암 파도

대왕바위 숫돌삼아 철썩철썩
긴 여정에 무뎌진 날 시퍼렇게 세우더니
반듯하게 모래손질 시연 한번 마치고는
말없이 담금질하고 온길 다시 돌아가네

태화강 십리대숲

흐르는 세월을 마디로 세우고
창창 허공으로 속은 눌러 다졌다네
하늘 향해 찌를듯 더불어 숲을 이룬 채
십리대숲 수양산되어 태화 팔백 리
시원한 바람과 그늘 드리우는
대나무 지혜를 배우고 싶었다

강물처럼

지나온 세월들 세월에 쓸려
이제 가물거리는 나이지만
아직 강물처럼 흐르고 싶다
아니 강물되어 살고 싶다
들고나는 작은 개울들
제 맘대로 졸졸거리게 두고
돌멩이 동글둥글 따라 구르거든
바닥에 그어진 화인火印 토닥이며
물 속 깊이 흐르면 되지
강물 흘러흘러 바다 되지만
바다가려고 흐른 것은 아니잖아
잊고 지낸 다짐이 생각나서 말이지

불영사佛影寺 가는 길

봉우리 큰 바위는 부처님 상호
계곡 물소리 풍경처럼 아득하고
산자락엔 금강송 빼곡하게 서있네
달려가 나무들 사이 팔 벌려 기대고 싶어라
세월을 등짐하고 섰는 꿋꿋한 버팀
그리움 가지로 삭혀 뻗으며
어쩌지 못한 까치발 기다림이었을까
화들짝 붉힌 마음 갑옷으로 두르고
바람결에 노을빛 만큼씩 굵어졌을 둥치들
구비 돌아 산사 저 만큼 보이는데
산그늘 내리는 연못가 채마밭엔
비구니 스님 홀로 김매기 하고
담장따라 접시꽃 올망졸망 피고 있네

해질녘

해질녘 되니
사무실 유리창도 거울이 되는구나
하늘, 구름, 산등성이 배경으로 세우고
길게 늘어선 가로수
뜨거웠던 하루를
이렇게 그리고 있었구나
다가서려니 나도 거기 서있네
세상을 산다는 것은
창에 부딪는 햇살같은 인연
그 숨막히는 찰나를
쉽게 놓지 못하는 미끄러짐 같은 것은 아닐까
멀리 초례산 꼭대기 뭉개구름 걸치네
서둘러 노을 질테고
어두워진 하늘에 별 하나 그려지겠지

춘장대 낙조

매일 이렇게 저물었을
나의 하루 하루
춘장대 낙조보며 헤아리다가
매일 그렇게 저물었을
너의 하루를 물어본다
세상 고단한 하루들이 저렇게 모여 앉아
맨질거리도록 씻고있구나
바다는 석양안고 잠방거린다
비단길 노을 심호흡하고
밤새워 부딪고 출렁거리며
그렇게 흘러흘러 새날되겠지

백일 맞는 손녀 유진에게

처음, 엄마 아빠도 모르게 왔으니
Surprise!
너는 진정 하늘의 선물
유리벽 너머 평화롭게 잠든 모습
오똑한 이목구비 뽀얀 얼굴한
네 번째 손주와 첫 번째 눈 맞춤이란
천지창조 마지막 터치할 때
화가 손끝에 전해오던 신비의 붓떨림이 이러지 않았을까
2017. 8. 6
거센 태풍 '노루'도 비켜가고
폭염특보에도 아랑곳없이
너는 우리에게 왔다
네가 인연내린 예쁘장한 지구별에서
사랑과 희망 주는 사람 되라고
일신우일신日新又日新 하는 사람 되라고
네 이름을 유진有進이라 지었다
건강하고 반듯하게 자라 집안에는 영예가 되고
산티아고처럼 '자아의 신화'를 이루는 사람이 되어라

밤하늘 보다가

깜깜 무소식이라지만
깜깜하다고 보이지 않는다면
무슨 그리움이라 할 수 있겠어
깜깜할수록 반짝이는
별을 보면 알 수 있잖아
달도 없는 섣달 밤이 이리 긴 것도
밤하늘에 마음 한번 달아보란 것일거야
별 하나 하나
천년을 달려와 빛이 되는거라는데
억겁의 공간을 순간으로 지나다가
그리움이 인연되어 이제 뺨에 닿는 거지
눈 감아본다
쏟아질 듯 걸려있던
그 별들은 다 어디 가고
은하수 강물은 어딜 흐르고 있을까

출근길 포장마차 지나다가

웅크린 햇살에 덩달아 움츠리는 포장마차
찌든 먼지를 외투대신 여미며
펄렁이는 바람따라 흔들흔들
내가 토해낸 말들도
구석 어디쯤 탑시기로 쌓여 있겠지
밤새 우왕좌왕 길 잃은 단어들이
주인대신 저녁을 기다리며
나이론 줄 팽팽히 헤진 천막을 지키고 있다
백열등 아래
입김따라 흔들거리던 그림자들 어디 갔을까
허얗게 엉겨있는 국물 자욱과 쓰러진 소주병
입춘이 멀지 않은데
갑자기 서베리아가 된 아침 출근길
차들도 주머니 손처럼 길에 꽁꽁 얼어있다

바다소리

경포 해변 흔들의자에서 파도소리 듣다가
불현듯
바다소리가 듣고 싶어졌다
눈 감고 가만 귀 기울여보니
'해에게서 소년에게' 읽은 다음부터
내가 아는 파도소리는 '철썩철썩' 뿐인데
철썩이는 소리는 어디에도 없다
내가 아는 다른 것들도 파도소리는 아닐까
그러면서
핏대선 목청만 기억하는 것은 아닐까
나의 소리도 그랬을거야
과장국장실장으로 철썩거렸을거야
바다에게 뭐라냐고 대놓고 물었더니
듣는대로 말하려니 힘들단다
사람소리 내며 살아가란다
그래야 바다소리도 들리는 거라며

산책길에서

엊그제 춘분 폭설 우듬지 꺾인 소나무 옆
햇살은 언제 그랬냐 눈부시게 비추고
벌소리 놀란 매화가 서둘러 봄을 피우네

서울 스카이에서

엊그제 비바람 샤워로 곱게 치장한 석양
남산 너머 한강 끝자락까지 내려와
구비구비 산자락 어슴푸레 세우고
창 밖 이방인 시선으로 빤히 쳐다본다
서울 하늘 언제 저리 아름다웠나
강줄기 가슴 탁 트이게 흘렀었던가
눈비비며 카메라 셔터 이리저리 눌러도
지난 세월만큼 캄캄한 배경으로 설 뿐
더벅머리 당신은 어디 있나요
세월의 군살배긴 내 얼굴
장대비라도 맞고싶은 것일까
잃어버린 무지개가 보고싶은게지
롯데타워 123층에서
허전한 초로의 서성임
올여름 태풍 샤워 나도 한번 해보려나

막내손자 승이에게

화상통화로만 보다가 처음 너를 만난 날

깊은 눈빛으로 한참을 바라보더니

푸덕푸덕 다가와 내 품에 안겼지

영국에서 태어난 내 다섯 번째 손주

너를 미리 볼 수 있을까 옥스퍼드에 갔었지

낯설어 그런지 너는 며칠을 더 준비해야 했고

파란 하늘과 푸른 잔디밭

어제 오늘이 어우러진 옛날 건물들

처칠 생가 블레넘 궁전까지

너 대신 보고올 수 있었다

귀국 비행기 타서도 그들이 부럽더라

그래 전통을 박물관에서만 살게 해선 안 되지

할아버지 살던 집에서

내가 키운 잔디 밟고 담벼락 이끼보며

너희들도 살아갈 수 있어야지

그런 다짐을 했단다

너 태어난 날 2017. 10. 12

파란 그 하늘 날아오르라고

푸르른 초원 마음껏 뛰놀라고

네 이름을 승㤼이라고 지었다

첫돌도 되기 전
해 지지 않는 나라에서 아침의 나라로 돌아왔으니
지칠줄 모르고 기어다니며 집안 구석구석 탐색 하듯이
온 세상 두루두루
외가 있는 아메리카 대륙까지 고향으로 삼거라
그래서 세상사람 존경받는 귀한 존재가 되고
집안에는 영예가 되거라
줄탁동기라더니
토닥토닥
이제 할배 등을 따라 다독거리는구나
첫돌 맞는 내 사랑스런 손자야
알을 깨고
아프락사스에게 날아오르거라

시월 첫날 출근길

외롭고 힘들 때면 기차를 타봐
창 밖 경치만 멋있는게 아니네
터널 지날 때면 거울이 되는구만
빤히 쳐다보는 너를 볼 수 있어
밤하늘 별처럼
어둡고 깜깜해야 보이는거야
그래서 왕복 철길 지루해질 때면
기차도 터널을 찾는게지
어디 기차처럼 달려본 적은 있냐구
구름끼고 비 온 하늘에서
따스한 햇살도 쏟아지는거야
덜컹덜컹 너를 싣고 신나게 달려봐
그래,
거기 서있는 네가 또렷히 보여

2018 가을

산책길 코스모스가 웃으며 묻는다
이 가을은 누구의 것입니까
무더운 여름 지낸 사람들 것이지요
저기 저 가을은?
머잖은 겨울 준비하는 사람들 것 아닐까요
가을 길 걸으며 가을을 두리번거리지 마세요
가을은 다스 같은 것이 아니잖아요
허공에 팔 벌리니 파란 하늘 구름 몇 점
그 가을은?
혀 끝에 물드는 단어를 바람이 에두릅니다
언제나 당신 것이었네요
올해도 닿을 수 없는 걸 보면
당신이 가을입니다

바다로 가려고 흐른 것은 아니었다

장석주 시인·문학평론가

바다로 가려고 흐른 것은 아니었다

장석주 시인 · 문학평론가

서정시는 대상에 대한 시인의 내밀한 감정을 표현한다. 감정
은 우리 안의 동물적 원초성이다. 인간은 자신의 행위와 욕망의
원천인 감정을 취하고 그것에 영향을 받으며 살아간다. 감정은
개인의 신체와 건강, 부모와 자식 사이의 관계, 자신이 속한 사
회 등과 연관되는데, 그것들은 감정이 촉발하게 하는 대상들이
다. 대개의 감정은 제어되고 조절되지만 불안정하게 솟구치는
감정은 그렇지 못하다. 제어할 수 없는 감정은 때때로 우리 안의
어둡고 무서운 힘으로 우리를 예측할 수 없는 곳으로 이끈다. 감
정이 지닌 파괴적인 힘이 파열하듯이 드러날 때 인간은 반이성
적 존재로 돌변할 수가 있는 것이다.

때때로 시인의 주관적 감정은 비합리적이라는 의심을 받는
다. 과연 감정이란 이성적 추론이 미치지 않는 "맹목적인 힘"
(마사 누스바움, 『시적 정의』)인가? 감정은 비합리적인 비사유

의 영역에서 작동하는가? 슬픔, 두려움, 불안, 절망, 분노, 연민, 우울 따위와 같이 다양한 주체의 감정이 공적 삶에 영향을 미친다는 것은 의심할 여지가 없지만 시인은 감정에 포획되어 그것에 휘둘리는 존재가 아니다. 시인은 제 내면에서 일어나는 감정을 관조하고 그것에서 시심을 일으킨다. 시적 대상을 감싸는 감정의 애틋함은 시인에게 기초적인 시적 동기일 테다. 감정은 시의 촉매가 될 뿐 아니라 시에 생명의 풍성한 느낌을 만드는 기제다.

> 어룰 없이 지는 꽃은 가는 봄인데
> 어룰 없이 오는 비에 봄은 울어라.
> 서럽다, 이 나의 가슴속에는!
> 보라, 높은 구름 나무의 푸릇한 가지.
> 그러나 해 늦으니 어스름인가.
> 애달피 고운 비는 그어오지만
> 내 몸은 꽃자리에 주저앉아 우노라.
> ─ 김소월, 「봄비」 전문

우리의 서정시인 김소월 시에서 서정적 주체의 내부에 작동하는 원초적인 감정의 무늬를 발견하는 것은 어렵지 않다. 「봄비」는 가는 봄날을 맞는 주체의 감정을 미적 순간으로 포착한다. 왔던 봄날이 덧없이 끝날 때 일어나는 감정이 이 시의 핵심이다. 하루가 저무는 어스름일 때, 마침 비가 내린다. 어스름과 비는 주체의 내면에 겹의 비애를 일으키고 증폭시킨다. "애달피 고운 비"속에 꽃은 지고, 봄은 깊어진 비애 속에서 끝나리라는 예감은 확실해진다. 그 순간 시인의 감정을 물들이는 것은 어찌할 수 없는 깊은 서글픔이다. 봄날의 끝이자 하루의 끝인 시각에 덮친 예감은 내 인생의 좋은 때도 저렇듯이 끝나리라는 예감과 하나로 포개지는 까닭이다. "내 몸은 꽃자리에 주저앉아 우노라." 이 시의 마지막 구절은 주체를 감싼 감정의 파동을 직설적으로 드러낸다. 감정은 덕과 사유를 낳는 공적 숙고가 작동하지 않는 즉자적인 감응의 결과물이다. 김소월의 시 대부분은 대상을 감싸고 흘러넘치는 감정을 기반으로 씌어졌고, 지금 이 순간의 감정은 생명의 풍성한 느낌으로 이어진다.

한석수 시인의 시에서 우리는 질박한 감정과 만난다. 그 소박한 감정은 자연을 향하거나 가족을 향하는데, 자연이나 가족은 감정 주체를 감싸는 1차적 환경이라고 할 수 있다. 그 환경과의 교섭에서 주체의 다양한 감정이 촉발한다. 한석수 시인은 늘 만나는 익숙한 감정들에서 시의 계기를 구한다. 그래서 일견 평이해 보이지만 가만히 들여다보면 그 안에 비범한 상상의 편린들이 섞여 있다. 많은 사람들이 간과하는 사실인데 감정은 사물과 사태에 대한 일종의 지각 방식이기도 하다. 우리의 감정은 대상에 대한 즉물적인 인지를 바탕으로 하는 경우가 흔하다. 이를테면 사랑의 감정은 맹목적인 맥락에서 일어나지 않는다. 어떤 형태로든지 그 대상의 좋음을 지각하는 한에서 대상에 대한 놀라움에서 사랑의 감정이 발현되는 것이다.

오늘 저녁 갑작스레 선선해진 바람

바다건너 고향에도 가을이 오고 있을까

그새 도로 위로 나서는 마음 급한 낙엽 몇 장

치알처럼 저 멀리서 노을 머금는 하늘

몇 차례 갑작스런 천둥번개 치더니

소포처럼 툭 던지고 간 것일까

뜨락을 서성이며

학교 담장따라 흔들거리던

코스모스 수줍은 미소를 떠올려본다

그래 올 여름 어지간히 더웠지

붉게 노랗게

우두커니 토해내는 나무들의 고해성사

눈처럼 비처럼 걸어가 구름 친구하다가

이만큼 저만큼에서

바람처럼 서는 법을 배우고 싶다

— 「뜨락에서」 전문

　자연에서 찾는 계절의 변화나 가족에 대한 연민과 사랑은 한
석수 시인의 중요한 시적 제재다. 「뜨락에서」는 지나가는 여름
과 새로 오는 가을 사이에서 시적 화자가 느끼는 감정을 그 중심
에 두고 있다. 무더위가 가시고, 갑자기 선선해진 바람은 계절의
새로운 변화를 인지하게 한다. 그 변화를 느끼는 주체에게 계절
이 바뀌는 것은 늘 "갑작스레" 일어나는 사태다. 그것은 바쁜 일
상에 매몰되어 계절의 빠른 변화를 인지하지 못하다가 맞는 사

태이기 때문이다. 그 실감을 느끼게 하는 것은 선선해진 바람이고, 활엽수들이 보여주는 낙엽 몇 장이다. 가을은 여름이 끝나면서 "소포처럼 툭 던지고 간 것"이다. 시인은 우두커니 서 있는 나무들의 잎에 단풍드는 것을 "나무들의 고해성사"로 읽어낸다. 빨갛고 노랗게 변한 활엽수의 잎들은 나무 내면에 숨어 있던 것들을 밖으로 토해내는 "나무들의 고해성사"라는 이 발상은 시적비약의 결과다. 평범할 수도 있는 시가 시적 비약을 통해 느낌의 심연을 가진 시로 탈바꿈한다. 눈과 비, 그리고 구름과 더불어 살며 "바람처럼 서는 법"을 배우고 싶다는 갈망은 소박하다.

> 바람부는 만추의 아침입니다
> 청사 뒷편 은행나무들이 까치발하며 햇살을 맞습니다
> 곱게 물든 노란 잎들이 화들짝 눈 비비며 날아오르네요
> 인왕산자락까지 내려온 하늘이 오랜만에 파랗습니다
> 당신이 함께 보았으면 좋았을 아침
> 그리고보니 무덤덤히 세월 인사도 잊고 살았네요
> 광화문 마지막 가을은 저렇게 짙어가는데
> 창가에서 커피잔만 조물거려 봅니다
> ─「11월 어느 아침」 전문

계절의 오고 감에 반응하는 시인의 감정은 자주 예민해진다. 노랗게 물든 정부 청사 뒤편의 은행나무들에서 가을을 실감한다. 만추의 아침 햇살은 화사하고, 하늘은 맑고 파랗다. 그 찰나시적 화자의 마음을 물들이는 것은 "당신이 함께 보았으면 좋았

을 아침"이라는 느낌이다. 지금 여기에 부재하는 누군가를 향한 그리움은 원초적인 감정이다. 이런 감정의 기원은 "무덤덤히 세월 인사도 잊고" 사는 마음이다. 세월은 무심하고, 그 세월을 대하는 태도는 "무덤덤"하다. 그런 가운데 사람은 생노병사를 겪으며 죽음을 맞는다. 시인은 그런 삶에 반기를 들거나 아등바등 매달리는 대신에 그것을 받아들이고 관조한다. 이러한 고요한 관조의 태도는 무욕과 자족함을 바탕으로 한다.

한석수 시인의 모든 시가 대상에 대한 감정을 관조하고 그것에 편승하는 것은 아니다. 감정이 직관에 이어질 때 시인은 내면 감정의 주체일 뿐 아니라 사실과 대상에 대한 분별있는 관찰자이자, 그것들의 중재자로 거듭난다. 물론 분별과 중재가 감정의 배제를 통해 이루어지는 것은 아니지만 감정이 늘 사물과 사건에 대한 참된 관점을 제시하지는 않는다. 감정에 치우칠 때 우리는 종종 사물과 사건을 이루는 핵심적 사실을 왜곡할 수가 있다. 감정이 공적 합리성의 기초 위에 세워져야만 그것이 윤리적 태도를 낳는 동력이 될 수 있을 테다.

의상께서 이곳에 화엄을 펼치실 때
바위도 덩달아 부운浮雲같은 사바 생을 깨친 것일까
흔들리는 대중의 심지를 바로 세우려
허공에 이름 방편 던지시고
골담초 지팡이로 받쳐 놓으신 게지
달마의 먼짓길이 안스러우셨는지

반개하신 상호相好는 동쪽으로 지긋하다

저 아미타불 앞에서 정진하실 때

얼마큼의 찰나를 무량 화두 삼으셨을까

조사당에 스님은 보이지 않고

우르르 사람들로 북새통을 이루는데

우로雨露도 의지 않은 그 자리 천년 선비화禪扉花를

그물 같은 철망 가막소로 가두고는

꼬깃한 지전 몇 장은 누구위한 공양일까

부석浮石도 세월의 무게만큼 비스듬히 누웠는데

산 아래 마을은 아득하기만 하고

여지없이 오늘도 단풍이 곱다

　　— 「부석사 무량수전에서」 전문

「부석사 무량수전에서」는 부석사 무량수전을 찾아가서 보고 느낀 바를 토대로 씌어진 것이라 짐작되지만 감정의 표피성에서 벗어나 불교적 사유의 깊이에서 시적 상상력의 계기를 구한다. 의상 대사가 화엄을 펼치실 때 "바위도 덩달아 부운浮雲같은 사 바 생을 깨친" 경지는 어떤 것일까? 우리 대부분은 한 생을 미망 속에서 헤매고 마음이 흔들리는 가운데 번뇌를 이어간다. 그 번 뇌에서 벗어나고자 "저 아미타불 앞에서 정진"하고, "찰나를 무 량 화두"로 삼는 것이다. 뜬 돌이 있는 절에는 "우르르 사람들로 북새통을 이루는데" 정작 수도자의 모습을 찾아볼 수가 없다. "우로雨露도 의지 않은 그 자리 천년 선비화禪扉花"만 피어있을 따 름이다. 우르르 몰려다니며 북새통을 이루는 어리석은 대중과

깨달음의 정수를 은유하는 "선비화禪扉花"는 극적인 대조를 이룬다. 시인의 시선은 그 둘 사이 어딘가에 머물러 있다. 자신의 어리석음을 질책하지도 않고, 깨달음의 경지에 안달복달하지도 않는다. 이 시의 결구인 "산 아래 마을은 아득하기만 하고/ 여지없이 오늘도 단풍이 곱다"에 드러나는 그의 시선은 무심하고, 마음은 고요할 따름이다.

    지나온 세월들 세월에 쓸려
    이제 가물거리는 나이지만
    아직 강물처럼 흐르고 싶다
    아니 강물되어 살고 싶다
    들고나는 작은 개울들
    제 맘대로 졸졸거리게 두고
    돌멩이 동글둥글 따라 구르거든
    바닥에 그어진 화인火印 토닥이며
    물 속 깊이 흐르면 되지
    강물 흘러흘러 바다 되지만
    바다가려고 흔른 것은 아니잖아
    잊고 지낸 다짐이 생각나서 말이지
    ― 「강물처럼」 전문

  한석수 시인은 소박하고 조촐한 일상에서 시를 길어 올린다. 그의 시세계는 지속되는 일상의 안녕과 가족의 행복을 바라며 사는 가장의 범속한 서정이 그 중심인 세계다. 그것은 "세월에 허허롭게 기대"(「바닷가에서」)인 삶이거나, "세월 속 묻혀간 세상의 그리움들"(「상사화」)인데, 이는 삶의 태도와도 연관이 된다. 그 태도를 집약해서 보여준 시가 「강물처럼」이다. "강물처럼" 흐르고 싶다거나 "강물처럼" 살고 싶다는 소망은 순리를 거스르지 않는 삶을 살겠다는 의지와 맞닿아 있다. 강물은 "바닥에 그어진 화인火印 토닥이며" 흐르는데, 시인에 따르면 강물이 흐르는 것은 "바다"에 닿기 위함이 아니다. 강물은 흘러가다 보니 어쩌다 "바다"에 닿는 것이다. 목적지향적 삶보다 세월의 흐름에 기대는 순리와 무위를 더 강조하는 이런 삶의 태도는 그의 시 전반에 걸쳐져 있다. 바로 그런 맥락에서 "모두에게 세월은 숙명의 마라톤"(「설날」), "길은 언제나 대지에겐 생채기 내는 일"(「길」), "잊혀짐은 가슴 아프지만 잊는 것은 슬픈 일이다"(「시월 둘째 날」)와 같은 시구들이 빛을 발한다.

한석수 시인이 즉물적 감정보다는 차분한 관찰자의 태도에 기대어 시적 탐색을 이어갈 때 서정성은 더 큰 울림을 낳는다. "외롭고 힘들 때면 기차를 타봐"라고 무심하게 시작하는 시를 읽을 때 문득 단순하고 명료한 것이 한석수 시인의 덕목이라는 생각이 든다. 이 첫 구절은 많은 것들을 생략한 채 주어진다. 이 첫 구절에서 사람은 자기 안에 숨은 참 자아를 만나기 위해 자기 바깥으로 나갈 필요가 있다는 암시를 읽었다. 언제까지나 자기 안에 갇혀 있는 사람은 자기를 알지 못한다. 자기 바깥으로 나가봐야 비로소 자기가 보이는 것이다. 아울러 자기를 안다는 것의 가치는 우주를 아는 것과 맞먹는다.

외롭고 힘들 때면 기차를 타봐

창 밖 경치만 멋있는 게 아니네

터널 지날 때면 거울이 되는구만

빤히 쳐다보는 너를 볼 수 있어

밤하늘 별처럼

어둡고 깜깜해야 보이는 거야

그래서 왕복 철길 지루해질 때면

기차도 터널을 찾는 게지

어디 기차처럼 달려본 적은 있냐구

구름 끼고 비 온 하늘에서

따스한 햇살도 쏟아지는 거야

덜컹덜컹 너를 싣고 신나게 달려봐

그래,

거기 서있는 네가 또렷이 보여

　　　　―「시월 첫날 출근길」 전문

　기차를 타고 출퇴근하는 이의 경험을 전달하는 「시월 첫날 출
근길」에서의 발견은 "창밖 경치"의 멋짐이 아니라 기차가 터널
로 들어갔을 때 거울로 변하는 차창에 비친 '너'의 모습에 그 초
점을 맞춘다. 마치 "밤하늘의 별처럼" '너'의 모습이 "어둡고 깜
깜해야 보이는 거"라는 깨달음은 범속하다. 여기서 '너'는 바로
자기 자신이다. 그러니까 '너'는 '나'다. 기차가 터널을 통과할 때
마다 어둠은 배경으로 한 차창에 또렷이 비치는 자기 얼굴을 바
라보라는 것이다. 이 시는 자기 스스로를 바라보고 그 경험을 통

해 객관적 성찰을 촉구한다. 자기 안에 숨은 참다운 자기를 성찰하라는 메시지는 출퇴근의 반복 속에서 '서서히 죽어가는 사람'으로 살지 말라는 시적 전언과 통한다.

　많은 사람들이 습관의 노예가 되어 무자각의 삶을 영위하는데 바쁘다. 그들은 여행도 귀찮아하고, 책도 읽지 않으며, 음악도 듣지 않는다. 만사를 귀찮아하며 대충 살아간다. 브라질 출신의 시인 마사 메데이로스(1961~)라는 시인은 그런 이들을 '서서히 죽어가는 사람'이라고 말한다. 그가 쓴 동명의 시에 따르면, "습관의 노예가 된 사람", "매일 똑같은 길로만 다니는 사람", "꿈을 따르기 위해 확실성을 불확실성으로 바꾸지 않는 사람", "일생에 적어도 한번은 합리적인 조언으로부터 달아나지 않는 사람", "자신의 나쁜 운과 그치지 않고 내리는 비에 대해 불평하면서 하루를 보내는 사람", 바로 그들이 '서서히 죽어가는 사람'이다. 서서히 죽어가는 것에 저항하지 않는다면 이미 삶의 경이와 아름다움에도 무감각해진다. 그들의 눈은 아름다운 것을 보고도 무덤덤하고, 심장 박동은 빨라지지 않는다. 그들은 감정의 고갈과 행복의 부재 속에서 겨우 숨만 쉬며 살아간다. 왜냐하면 그들에게 나날의 삶은 무의미한 타성의 되풀이에 지나지 않을 것이기 때문이다.

　누군가 얘기했지
　진정한 아름다움은 뒷모습에 있다고
　오늘 보았네

그냥 걸어가는 사람

어제와 오늘을 내일이라 이름지으며

두 손 악수로 세월을 되짚더니

선한 미소

입춘지난 눈발로 던지고 가네

뒤돌아서니 낯익은 모습

당신은 누구시길래

눈 감고 가만가만 봄을 꼽아봅니다

― 「뒷모습」 전문

   한석수 시인은 "진정한 아름다움은 뒷모습에 있다"라고 쓴다. 앞모습은 꾸밀 수 있지만 뒷모습은 꾸밈이 없다. 뒷모습은 존재의 질박한 모습을 있는 그대로 보여준다. 참다운 시인은 앞모습이 아니라 뒷모습에서 더 드러난다. 너무 많은 집, 서류, 간판들 가운데 "그냥 걸어가는 사람"이란 바로 시인이다. 그는 어떤 재물과 명예보다 지금 이 순간의 살아 있음을 생생하게 느끼고, "눈 감고 가만가만 봄을 꼽아" 보는 데서 기쁨을 찾는 사람이다! 그들은 숲과 바람을 좋아하고, 구름과 별들에 매혹당하며, 변화무쌍한 계절 속에서 그 변화의 흐름을 좋아하고, 그것을 '좋아함' 속에서 참다운 존재의 기본 감각을 느낄 줄 안다. 고독한 해변에서 파도 소리에 귀 기울이며 우주의 태초를 상상할 수 있는 사람, 지구가 기쁨과 웃음으로 빚어졌다는 비밀을 갑자기 깨닫는 사람, 만물에 다 저마다의 봉오리가 있음을 아는 사람, 그런 사람만이 시인이 될 수 있고, 마땅히 시인이 되어야 한다. 좋은 시인이란 정확하게 '서서히 죽어가는 사람'의 반대편에 서는 사람이고, '날마다 새롭게 태어나는 사람'이어야 한다. 봄에 피어난 첫 모란과 작약 꽃 앞에서 기쁨의 눈물을 흘릴 줄 아는 사람, 타인의 불행과 고통에 연민하고 함께 아파할 줄 아는 사람, 평범한 사물의 인내심에 경탄하는 사람, 나를 비천하게 쓰고 버리는 운명을 향해 웃음을 짓고 저항할 줄 아는 사람, 바로 그 사람이 '날마다 새롭게 태어나는 사람'이다.

한석수 시집

강물처럼

발　　행　2018년 12월 5일
지 은 이　한석수
펴 낸 이　반송림
편집디자인　김지호
펴 낸 곳　도서출판 지혜
　　　　　　계간시전문지 애지
기획위원 반경환 이형권 황정산
주　　소　34624 대전광역시 동구 선화로 203-1, 2층 도서출판 지혜 (삼성동)
전　　화　042-625-1140
팩　　스　042-627-1140
전자우편　ejisarang@hanmail.net
애지카페　cafe.daum.net/ejiliterature

ISBN : 979-11-5728-309-5　03810
값 10,000원

한석수

한석수韓晳洙 시인은 1959년 충남 공주에서 태어났고, 한양대학교 및 미국 아이오와대학(Ph.D.)을 졸업했다. 한국문협인천지부 수필부문 신인상(1991년), 창작수필 신인상(1993년), 공무원 문예대전 장려상(2005) 및 우수상(2007년)을 수상했다. 2008년 계간시전문지 『애지』로 등단했고 시집으로는 『커피는 알라딘 램프다』가 있다. 1985년 29회 행정고시로 공직에 입문하여 2016년 1월 대학정책실장으로 명예퇴직할 때까지 대학지원관, 교육정보통계국장, 정책조정기획관, 혁신인사기획관, 충남교육청 부교육감, 교육과학기술연수원장 등을 역임하며, 30년간 교육관료로 일했다. 현재 한국교육학술정보원 keris 원장으로 재직하고 있다.

한석수 시인은 생활시를 쓰고 싶다고 한다. 그의 두 번째 시집인 『강물처럼』은 소박하고 조촐한 일상에서 시를 길어 올린다. 그의 시세계는 지속되는 일상의 안녕과 가족의 행복을 바라며 사는 가장의 범속한 서정이 그 중심인 세계다. 그것은 "세월에 허허롭게 기대"(『바닷가에서』)인 삶이거나, "세월 속 묻혀간 세상의 그리움들"(『상사화』)인데, 이는 삶의 태도와도 연관이 된다. 그 태도를 집약해서 보여준 것이 그의 『강물처럼』의 시세계이다.

이메일 : daosky@hanmail.net

〈기타 저서〉
· 『교육정책의 나비효과를 꿈꾸며』, 아르케 2005(문광부 추천 교양도서)
· 『교육 단상』, 퍼플 2014
· 『새로운 미국 대학 설계 ―성공적인 대학 개혁 모델』(역서), 아르케 2017
· 『미국대학 입학사정관들의 고민』(역서), 아르케 2017